기도 양육
301

세움북스는 기독교 가치관으로 교회와 성도를 건강하게 세우는 바른 책을 만들어 갑니다.

기도 양육 301

영적 전쟁과 기도

초판 2쇄 발행 2025년 10월 25일

지은이 | 김영한
펴낸이 | 강인구
펴낸곳 | 세움북스

등 록 | 제2014-000144호
주 소 | 서울시 종로구 대학로19 한국기독교회관 1010호
전 화 | 02-3144-3500
팩 스 | 02-6008-5712
이메일 | cdgn@daum.net

교 정 | 이윤경
디자인 | 참디자인

ISBN 979-11-87025-97-9 (03230)
SET 979-11-87025-99-3 (03230)

기도 양육 301

영적 전쟁과 기도

김영한 지음

세움북스

나는 오늘 해야 할 일이 많기 때문에
기도하는 시간을 갖기 위해서 한 시간 더 일찍 일어난다.

– 마틴 루터(Martin Luther) –

기도하는 한 사람이 기도하지 않는 모든 민족보다 강하다.
무릎 위에 놓인 나라는 무기 아래 놓인 나라보다 더 강하다.

– 존 녹스(John Knox) –

옷을 만드는 것은 재단사의 일이고 구두를 수선하는 것은 구두장이의 일이고
기도하는 것은 그리스도인의 일이다. 기도의 실패자는 생활의 실패자이다.

– E. M. 바운즈(E. M. Bounds) –

기도는 하나님의 심정에 이르게 하는 것이다.

– 제레미 테일러(Jeremy Taylor) –

아버지와 같이 있기를 바라는 것 이외의 것을 바라지 않는 것이
기도의 가장 기본적인 의식이다.

– 레이 랙스데일(Ray W. Ragsdale) –

기도란 그리스도의 능력을 붙잡는 손이다.
늙어 갈수록 기도를 더 많이 하라. 그래야 신령한 일에 냉랭해지지 않는다.

– 고아들의 아버지, 조지 뮬러(George Muller) –

기도는 우리가 믿음으로 발견한 주님의 복음에 들어있는 보물을 파내는 것이다.

– 존 칼빈(John Calvin) –

기도 양육 301
영적 전쟁과 기도를 출간하며

『기도 양육 101』에서는 기도의 기본이 되는 내용들을 살펴 보았다.
『기도 양육 201』에서는 바른 기도와 바르지 않은 기도에 대해 숙고해 보았다.
이번 『기도 양육 301』에서는 '영적 전쟁과 기도'에 대해 같이 고민해 보려고 한다.

사실 기도는 하나님과의 관계이다. 그리고 기도는 간구해야 할 내용을 때때로 하나님께 드리는 것이다. 이런 기도와 기도자의 삶을 위해 여러 배울 점들이 있다. 그러나 실제적으로 왜 성도가 기도의 삶을 살아야 할지 알아야 한다. 이런 이유는 바로 우리가 여전히 이 땅에서 살고 있고, 악한 사탄이 우리를 공격하고 있기 때문이다.

어떤 병을 치료받을 때 가장 우선 중요한 것은 환자가 걸린 병이 무엇인지 아는 것이다. 그러면서 그 병을 어떻게 대처할지 알고, 적극적으로 노력하며, 싸우는 것이다. 영적으로도 마찬가지이다. 우리는 아무런 공격이 없고, 어떤 유혹과 시험의 바이러스도 없는 진공 상태에서 살지 않는다.

그렇기에 챕터1에서는 '사탄의 정체성'에 대해 알아볼 것이다. 그 공격자의 실체를 알고, 대처하고, 싸워야 한다. 그리고 챕터 2에서는 '영적 대적의 방법'은 무엇이 있는지를 살펴볼 것이다. 챕터3에서는 '사탄의 전술 VS 성도의 대처'에 관한 방법을 숙고할 것이다. 챕터4에서는 '영적 전쟁과 영적 성숙'에 관해 좀 더 중점을 두고, 고민할 것이다.

챕터5에서는 '영적 전쟁에서 승리하는 비결'을 나누고, 단순한 종교 생활을 넘어 온전한 신앙 생활을 하도록 나눌 것이다. 마지막 챕터6에서는 '영적전쟁과 금식기도'에 대해 살펴볼 것이다. 특히, 기도할 때 건강한 금식 기도와 금식 기도를 왜 그리고 어떻게 해야 할지 고찰할 것이다.

수많은 사람들이 기도가 중요한 것은 안다. 그러나 기도자의 삶은 살지 않는다. 그렇기에 영적 전쟁에서 매일 무너진다. 이 기도 양육 책을 통해 살아 있다는 이름만 가진 신앙인이 아니라 기도를 통해 하나님의 임재와 역사를 경험하는 여러분과 제가 되기를 소망한다.

2021년 4월

김 영 한(Next 세대 Ministry 대표 / 품는교회 담임)

목차

Contents

chapter 1

Spiritual Warfare and Prayer

사탄의 정체성

1. 타락한 천사의 기원은 어떻게 되는가

7 하늘에 전쟁이 있으니 미가엘과 그의 사자들이 용과 더불어 싸울새 용과 그
의 사자들도 싸우나 8 이기지 못하여 다시 하늘에서 그들이 있을 곳을 얻지 못
한지라 9 큰 용이 내쫓기니 옛 뱀 곧 마귀라고도 하고 사탄이라고도 하며 온 천하를
꾀는 자라 그가 땅으로 내쫓기니 그의 사자들도 그와 함께 내쫓기니라_**계 12:7-9**

1) 사탄처럼 자신의 자리, 위치, 지위를 지키지 아니하는 것이 왜 문제인가?

또 자기 지위를 지키지 아니하고 자기 처소를 떠난 천사들을 큰 날의 심판까지 영원한 결박으로 흑암에 가두셨으며_유 1:6

2) 다윗은 언제 영적으로 범죄하고, 깨어 있지 못하였는가?

저녁 때에 다윗이 그의 침상에서 일어나 왕궁 옥상에서 거닐다가 그곳에서 보니 한 여인이 목욕을 하는데 심히 아름다워 보이는지라_삼하 11:2

2. 타락한 천사는 어떤 정체성을 가지고 있는가

너희는 너희 아비 마귀에게서 났으니 너희 아비의 욕심을 너희도 행하고자 하느니라 저는 처음부터 살인한 자요 진리가 그 속에 없으므로 진리에 서지 못하고 거짓을 말할 때마다 제 것으로 말하나니 이는 저가 거짓말장이요 거짓의 아비가 되었음이니라_**요 8:44**

3. 사탄이 싫어하는 메시지는 무엇인가

1) ______ 를 싫어한다

회개하라 천국이 가까이 왔느니라 하였으니_**마 3:2**

2) 자신의 죄를 자백하는 것을 싫어한다

만일 우리가 우리 죄를 자백하면 그는 미쁘시고 의로우사 우리 죄를 사하시며 우리를 모든 불의에서 깨끗하게 하실 것이요_**요일 1:9**

3) 자신을 ______ 하는 것을 싫어한다

자기 두루마기를 빠는 자들은 복이 있으니 이는 그들이 생명나무에 나아가며 문들을 통하여 성에 들어갈 권세를 받으려 함이로다_**계 22:14**

4) 회개를 ______ 하는 것을 싫어한다

제자들이 나가서 회개하라 전파하고_**막 6:12**

5) 여호와를 의지하는 것을 싫어한다

사람을 두려워하면 올무에 걸리게 되거니와 여호와를 의지하는 자는 안전하리라_**잠 29:25**

이제 내가 사람들에게 좋게 하랴 하나님께 좋게 하랴 사람들에게 기쁨을 구하랴 내가 지금까지 사람들의 기쁨을 구하였다면 그리스도의 종이 아니니라_**갈 1:10**

4. 사탄의 정체성이 파괴자인 반면에 우리는 어떤 존재로 창조를 받았는가

이 백성은 내가 나를 위하여 지었나니 나를 찬송하게 하려 함이니라_**사 43:21**

- 우리는 예배하는 자로 창조되었다.
- 우리는 기도하는 자로 창조되었다.
- 우리는 찬양하는 자로 창조되었다.

1) 나 자신은 요즘 하나님께 어떻게 예배하고 있는가? 부족한 부분은 무엇인가?

2) 하나님이 우리에게 주신 문화명령의 내용은 무엇인가?

생육하고 번성하여 땅에 충만하라, 땅을 정복하라…모든 생물을 다스리라_**창 1:28**

5. 사탄의 무기는 무엇인가

1) 사탄은 우리로 두려움과 속에 살게 한다

아무것도 놓치지 않도록 한다.

2) 세상의 것을 꽉 붙잡도록 한다

3) 자신을 하지 못하게 한다

누구든지 나를 따라오려거든 자기를 부인하고 자기 십자가를 지고 나를 따를 것이니라_마 16:24

6. 사탄은 성도를 어떻게 유혹하는가

Q 팀 켈러가 언급한 것 중 무엇이 믿는 자를 속이고 넘어지게 할 수 있는가?

7. 사탄은 어떻게 일하는가

1) 　　　　　　 로 다닌다

예수께서 네 이름이 무엇이냐 물으신즉 이르되 군대라 하니 이는 많은 귀신이 들렸음이라_**눅 8:30**

2) 　　　　 귀신을 데리고 와서 더욱 안 좋게 만든다

이에 가서 저보다 더 악한 귀신 일곱을 데리고 들어가서 거하니 그 사람의 나중 형편이 전보다 더욱 심하게 되느니라 이 악한 세대가 또한 이렇게 되리라_**마 12:45**

8. 사탄이 싫어하는 사역은 무엇인가

1) 사역

2) 전도와 선교 사역

3) 십자가 짐

4) ______ 를 세우는 일

9. 예수님은 공생애를 시작하기 전 누구에게 어떤 시험을 받으셨는가

1 그때에 예수께서 성령에게 이끌리어 마귀에게 시험을 받으러 광야로 가사 …
11 이에 마귀는 예수를 떠나고 천사들이 나아와서 수종드니라_**마 4:1, 11**

1) ______ 증명 시험

2) 존재 증명 시험

3) 증명 시험

내 자녀를 주님께서 주셨음을 인정하고 온전히 드릴 수 있는가?

Q 나의 건강을 주님께서 주심을 알고 감사하며
내 육신을 주님이 원하시는 곳에 드릴 수 있는가?
주님께 드리기 힘든 사람 혹 영역은 무엇인가?

10. 사탄은 하나님이 어떤 분이라고 말하는가

네가 하나님은 한 분이신 줄을 믿느냐 잘하는도다 귀신들도 믿고 떠느니라_**약 2:19**

11. 사탄 원수가 하는 일은 무엇인가

- 고결한 믿음을 ______ 으로 바꾼다.
- 아름다운 사랑을 강한 소유욕으로, 증오로 바꾼다.

- 이 땅에 풍성한 먹을 것을 욕심으로 쟁취하게 한다.
- 하나님에 대한 생각을 왜곡되게 한다.
- 서로에 대한 ______ 과 오해를 일으킨다.

12. 사탄은 죄의 영향력으로 어떻게 우리를 넘어트리려고 하는가

선을 행하지 아니하면 죄가 문에 엎드려 있느니라 죄가 너를 원하나 너는 죄를
다스릴지니라_**창 4:7**

13. 사탄은 어떻게 아름다운 세상을 파괴하려고 하는가

14. 사탄의 정체성을 알았다면, 우리가 넘어지지 않도록 우리 자신을 어떻게 세워야 하는가

과제

☑ **말씀암송**

야고보서 2:19

네가 하나님은 한 분이신 줄을 믿느냐

잘하는도다 귀신들도 믿고 떠느니라

☑ **하루 30분씩 매일 기도해 주세요.**

☑ **3명 이상에게 중보기도 제목을 받고, 기도해 주세요.**

☑ **기도문을 적어 제출해 주세요.**

[개인, 가정, 교회, 나라를 위한 기도]

☑ **메모**

chapter 2

Spiritual Warfare and Prayer

영적 대적의 방법

1. 원수를 대적하는 방법은 무엇인가

1) 영적인 ______ 을 하라

우리의 씨름은 혈과 육을 상대하는 것이 아니요 통치자들과 권세들과 이 어둠의 세상 주관자들과 하늘에 있는 악의 영들을 상대함이라_**엡 6:12**

2) 사탄이 물러가도록 선포하라

예수께서 말씀하시되 사탄아 물러가라 기록되었으되 주 너의 하나님께 경배하고 다만 그를 섬기라 하였느니라_**마 4:10**

3) 하라

8 근신하라 깨어라 너희 대적 마귀가 우는 사자 같이 두루 다니며 삼킬 자를 찾
나니 9 너희는 믿음을 굳건하게 하여 그를 대적하라_벧전 5:8-9

4) 꾸짖으라

25 예수께서 무리가 달려와 모이는 것을 보시고 그 더러운 귀신을 꾸짖어 이르
시되 말 못하고 못 듣는 귀신아 내가 네게 명하노니 그 아이에게서 나오고 다시
들어가지 말라 하시매 26 귀신이 소리 지르며 아이로 심히 경련을 일으키게 하
고 나가니 그 아이가 죽은 것 같이 되어 많은 사람이 말하기를 죽었다 하나 27
예수께서 그 손을 잡아 일으키시니 이에 일어서니라_막 9:25-27

5) 를 입으라

11 마귀의 간계를 능히 대적하기 위하여 하나님의 전신 갑주를 입으라 12 우리
의 씨름은 혈과 육을 상대하는 것이 아니요 통치자들과 권세들과 이 어둠의 세

상 주관자들과 하늘에 있는 악의 영들을 상대함이라_엡 6:11-12

2. 성경은 영적으로 대적하고, 무너지지 않도록 무엇을 권면하고 있는가

1) ______ 하라

7 너희 염려를 다 주께 맡기라 이는 그가 너희를 돌보심이라 8 근신하라 깨어라
너희 대적 마귀가 우는 사자 같이 두루 다니며 삼킬 자를 찾나니_벧전 5:7-8

2) 욕심에 빠져 죽지 않도록 하라

아나니아야 어찌하여 사탄이 네 마음에 가득하여 네가 성령을 속이고 땅값 얼마를 감추었느냐_행 5:3

선한 사람은 마음의 쌓은 선에서 선을 내고 악한 자는 그 쌓은 악에서 악을 내
나니 이는 마음의 가득한 것을 입으로 말함이니라_**눅 6:45**

3) 모든 ______ 를 주님께 맡기라

7 너희 염려를 다 주께 맡기라 이는 그가 너희를 돌보심이라 8 근신하라 깨어라
너희 대적 마귀가 우는 사자 같이 두루 다니며 삼킬 자를 찾나니_**벧전 5:7-8**

3. 사람은 대적은커녕 무엇으로 사탄의 유혹에 빠져 패망하였는가

1) 돈을 주기로 약속하니 유다가 넘어졌다

그들이 듣고 기뻐하여 돈을 주기로 약속하니 유다가 예수를 어떻게 넘겨줄까 하고 그 기회를 찾더라_**막 14:11**

(가룟 유다가) 조각을 받은 후 곧 사탄이 그 속에 들어간지라 이에 예수께서 유다에게 이르시되 네가 하는 일을 속히 하라 하시니_**요 13:27**

2) 그 마음속에 ______ 이 있었다

욕심이 잉태한즉 죄를 낳고 죄가 장성한즉 사망을 낳느니라_**약 1:15**

코란(Koran)의 가르침은?

고리대금업은 유대인들에 대한 경고뿐만 아니라 무슬림 내에서도 마찬가지로 금기시되고 있다. "이자를 받아먹는 자들은 사탄의 일격을 받고 넘어진 자처럼…(코란 2:275)." 오늘날의 경제 개념으로서는 이자가 당연시되고 있지만 이슬람 초기의 상업적 전통에서는 이자를 받는 행위를 죄악시했던 것으로 볼 수 있다.

이슬람 종교도 형제에게 고리대금격의 이자를 받지 말라고 한다. 하나님의 영광을 위해 살기 원하는가? 그렇다면 전셋 값을 내리라! 월세를 내리라! 주님께 은혜받은 자라면 더 낮추고 손해 보아야한다. 그러면 하나님의 이름이 드러난다.

4. 우리는 어떻게 단순 대적을 넘어 마귀에게 눌린 자를 구할 수 있는가

1) 하나님께서 ______ 하시니 귀신 들린 자를 고치라

하나님이 나사렛 예수에게 성령과 능력을 기름 붓듯 하셨으매 그가 두루 다니시며 선한 일을 행하시고 마귀에게 눌린 모든 사람을 고치셨으니 이는 하나님이 함께하셨음이라_**행 10:38**

2) 온전한 믿음으로 주님이 하신 일보다 더 큰 일을 하라

나를 믿는 자는 내가 하는 일을 그도 할 것이요 또한 그보다 큰 일도 하리니_**요 14:12**

3) 하나님의 _______ 을 의지하며 살라

6 그가 내게 대답하여 이르되 여호와께서 스룹바벨에게 하신 말씀이 이러하니
라 만군의 여호와께서 말씀하시되 이는 힘으로 되지 아니하며 능력으로 되지
아니하고 오직 나의 영으로 되느니라 7 큰 산아 네가 무엇이냐 네가 스룹바벨
앞에서 평지가 되리라 그가 머릿돌을 내놓을 때에 무리가 외치기를 은총, 은총
이 그에게 있을지어다 하리라 하셨고_슥 4:6-7

5. 악한 귀신을 항복시키는 것은 너무나 중요하다. 그러나 주님은 무엇을 더 기뻐하라고 하셨는가

19 내가 너희에게 뱀과 전갈을 밟으며 원수의 모든 능력을 제어할 권능을 주었
으니 너희를 해칠 자가 결코 없으리라 20 그러나 귀신들이 너희에게 항복하는
것으로 기뻐하지 말고 너희 이름이 하늘에 기록된 것으로 기뻐하라_눅 10:19-20

6. 사탄은 더 교묘한 전략으로 어떻게 성도를 넘어지게 하는가

7. 사탄이 싫어하는 일이 무엇인지 알면 잘 대적하고, 이길 수 있다. 사탄은 어떻게 사람을 공격하고 넘어트리려고 하는가

1 우스 땅에 욥이라 불리는 사람이 있었는데 그 사람은 온전하고 정직하여 하
나님을 경외하며 악에서 떠난 자더라 2 그에게 아들 일곱과 딸 셋이 태어나니
라 3 그의 소유물은 양이 칠천 마리요 낙타가 삼천 마리요 소가 오백 겨리요 암
나귀가 오백 마리이며 종도 많이 있었으니 이 사람은 동방 사람 중에 가장 훌
륭한 자라 4 그의 아들들이 자기 생일에 각각 자기의 집에서 잔치를 베풀고 그
의 누이 세 명도 청하여 함께 먹고 마시더라 5 그들이 차례대로 잔치를 끝내면
욥이 그들을 불러다가 성결하게 하되 아침에 일어나서 그들의 명수대로 번제
를 드렸으니 이는 욥이 말하기를 혹시 내 아들들이 죄를 범하여 마음으로 하나
님을 욕되게 하였을까 함이라 욥의 행위가 항상 이러하였더라 6 하루는 하나님
의 아들들이 와서 여호와 앞에 섰고 사탄도 그들 가운데에 온지라 7 여호와께
서 사탄에게 이르시되 네가 어디서 왔느냐 사탄이 여호와께 대답하여 이르되
땅을 두루 돌아 여기저기 다녀왔나이다 8 여호와께서 사탄에게 이르시되 네가
내 종 욥을 주의하여 보았느냐 그와 같이 온전하고 정직하여 하나님을 경외하
며 악에서 떠난 자는 세상에 없느니라 9 사탄이 여호와께 대답하여 이르되 욥
이 어찌 까닭 없이 하나님을 경외하리이까 10 주께서 그와 그의 집과 그의 모든
소유물을 울타리로 두르심 때문이 아니니이까 주께서 그의 손으로 하는 바를
복되게 하사 그의 소유물이 땅에 넘치게 하셨음이니이다 11 이제 주의 손을 펴
서 그의 모든 소유물을 치소서 그리하시면 틀림없이 주를 향하여 욕하지 않겠
나이까 12 여호와께서 사탄에게 이르시되 내가 그의 소유물을 다 네 손에 맡기
노라 다만 그의 몸에는 네 손을 대지 말지니라 사탄이 곧 여호와 앞에서 물러가
니라_**욥 1:1-12**

21 이때로부터 예수 그리스도께서 자기가 예루살렘에 올라가 장로들과 대제사
장들과 서기관들에게 많은 고난을 받고 죽임을 당하고 제삼일에 살아나야 할
것을 제자들에게 비로소 나타내시니 22 베드로가 예수를 붙들고 항변하여 이르
되 주여 그리 마옵소서 이 일이 결코 주께 미치지 아니하리이다 23 예수께서 돌
이키시며 베드로에게 이르시되 사탄아 내 뒤로 물러가라 너는 나를 넘어지게
하는 자로다 네가 하나님의 일을 생각하지 아니하고 도리어 사람의 일을 생각
하는도다 하시고_**마 16:21-23**

29 오라 하시니 베드로가 배에서 내려 물 위로 걸어서 예수께로 가되 30 바람을
보고 무서워 빠져 가는지라 소리 질러 이르되 주여 나를 구원하소서 하니_**마
14:29-30**

Q 과연 우리는 현재 삶에서 불가능하게 보이는 상황에서 내 믿음의 발을 내밀 수 있을까?

8. 사탄을 대적하고 그 영향력에서 벗어날 수 있는가

- ________ 에 나오라!
- 잠자기 전 기도하라!
- 자고 일어나서 기도하라!
- 깨어 있어 길을 걸을 때 기도하라!
- ________ 성령 안에서 기도하라!
- 기도 제목을 서로 나누라!
- 삼삼오오 기도하는 자와 정규적으로 만나라!

9. 우리는 악과 악한 존재 사탄에게 지지 않도록 어떻게 기도해야 하는가

다만 악에서 구하시옵소서_마 6:13

10. 사탄을 어떻게 누르고, 쫓아낼 수 있는가

1) 　　　　　 한다

14 그들이 무리에게 이르매 한 사람이 예수께 와서 꿇어 엎드려 이르되 15 주여
내 아들을 불쌍히 여기소서 그가 간질로 심히 고생하여 자주 불에도 넘어지며
물에도 넘어지는지라 16 내가 주의 제자들에게 데리고 왔으나 능히 고치지 못
하더이다 17 예수께서 대답하여 이르시되 믿음이 없고 패역한 세대여 내가 얼
마나 너희와 함께 있으며 얼마나 너희에게 참으리요 그를 이리로 데려오라 하
시니라 18 이에 예수께서 꾸짖으시니 귀신이 나가고 아이가 그때부터 나으니
라_마 17:14-18

2) 믿음이 있어야 한다

19 이때에 제자들이 조용히 예수께 나아와 이르되 우리는 어찌하여 쫓아내지
못하였나이까 20 이르시되 너희 믿음이 작은 까닭이니라 진실로 너희에게 이르
노니 만일 너희에게 믿음이 겨자씨 한 알 만큼만 있어도 이 산을 명하여 여기서
저기로 옮겨지라 하면 옮겨질 것이요 또 너희가 못할 것이 없으리라_마 17:19-20

3) ______ 께서 하심을 믿고, 나아가야 한다

평강의 하나님께서 속히 사탄을 너희 발 아래에서 상하게 하시리라 우리 주 예수의 은혜가 너희에게 있을지어다_롬 16:20

11. 하나님의 아들, 예수 그리스도가 나타나신 이유 중 한 가지는 무엇인가

죄를 짓는 자는 마귀에게 속하나니 마귀는 처음부터 범죄함이라 하나님의 아들이 나타나신 것은 마귀의 일을 멸하려 하심이라_요일 3:8

12. 성경은 사탄을 그리고 악한 자들을 어떻게 하신다고 하였는가

1) 　　　　 를 상하게 하실 것이라고 하였다

내가 너로 여자와 원수가 되게 하고 네 후손도 여자의 후손과 원수가 되게 하리니 여자의 후손은 네 머리를 상하게 할 것이요 너는 그의 발꿈치를 상하게 할 것이니라 하시고_**창 3:15**

2) 십자가로 악한 통치자들과 권세자들을 이기셨다고 하였다

통치자들과 권세들을 무력화하여 드러내어 구경거리로 삼으시고 십자가로 그들을 이기셨느니라_**골 2:15**

3) 　　　　 와 다투어 변론하고, 꾸짖으시기를 원한다고 하였다

천사장 미가엘이 모세의 시체에 관하여 마귀와 다투어 변론할 때에 감히 비방하는 판결을 내리지 못하고 다만 말하되 주께서 너를 꾸짖으시기를 원하노라 하였거늘_**유 1:9**

13. 영적 전쟁 시 기도해야 하는 이유는 무엇인가

우리 하나님 여호와께서 우리가 그에게 기도할 때마다 우리에게 가까이하심과 같이 그 신이 가까이함을 얻은 큰 나라가 어디 있느냐_**신 4:7**

과제

☑ **말씀암송**

로마서 16:20

평강의 하나님께서

속히 사탄을 너희 발 아래에서 상하게 하시리라

우리 주 예수의 은혜가 너희에게 있을지어다

☑ **하루 30분씩 매일 기도해 주세요.**

☑ **3명 이상에게 중보기도 제목을 받고, 기도해 주세요.**

☑ **기도문을 적어 제출해 주세요.**

[개인, 가정, 교회, 나라를 위한 기도]

☑ **메모**

chapter 3

Spiritual Warfare and Prayer

사탄의 전술 VS 성도의 대처

1. 원수의 간교한 계책은 무엇인가

1) 한 영혼을 기도하지 않게 하며 영적으로 타락시킨다

2) 가정이 화목하지 못하도록 한다

3) 교회 공동체를 무너트린다

1)

다윗이 백성을 조사한 후에 그의 마음에 자책하고 다윗이 여호와께 아뢰되 내

가 이 일을 행함으로 큰 죄를 범하였나이다 여호와여 이제 간구하옵나니 종의 죄를 사하여 주옵소서 내가 심히 미련하게 행하였나이다 하니라_**삼하 24:10**

2) 절망

3)

4) 의심과 불신

5)

6) 미움

7) 불평과

8) 지연 작전

9) 불성실성

10) 외식

> 사탄이 가장 좋아하는 것은 외식이다. 사탄은 우리가 기도하는 것과 성경 읽는 것, 교회에 가는 것과 봉사하는 것을 싫어한다. 그러나 그런 것들을 막을 수 없을 때 사용하는 마지막 무기가 바로 외식에 빠지게 하는 것이다.
>
> – 신성종 『영적 전쟁』 p.130 요약

Q 다음 세대는 사탄의 어떤 전략에 넘어지게 되는 것 같은가?

2. 사탄은 개인과 공동체를 무너트리기 위해 어떤 전략을 쓰는가

1) 　　　　기준을 바꾼다

2) 삶의 기준을 바꾼다

3) 공동체의 사역 ______ 을 바꾼다

전투기 조종사와 계기판

전투기 조종사가 비행 훈련을 하다 보면 하늘과 바다가 구분이 가지 않을 때가 있다. 실제로 전투기 조종사는 방향 감각을 익히는 훈련을 많이 한다. 그런데 아무리 훈련해도, 때로는 자신의 방향감각을 믿을 수 없다. 그래서 조종사는 조종석 컴퓨터의 스크린을 읽고 그 지시를 따라야 한다. 분명 하늘 같아도 잘못하면 바다로 내려갈 수 있다.

4) 영적 기운을 다운시킨다

3. 사탄은 우리가 누구와 벗이 되도록 하는가

1) ______ 을 사랑하도록 한다

데마는 이 세상을 사랑하여 나를 버리고 데살로니가로 갔고 그레스게는 갈라디아로, 디도는 달마디아로 갔고_**딤후 4:10**

2) 세상에 있는 것들을 사랑하게 한다

이 세상이나 세상에 있는 것들을 사랑하지 말라 누구든지 세상을 사랑하면 아버지의 사랑이 그 안에 있지 아니하니_**요일 2:15**

3) 세상 사람들의 ________ 에 빠지게 한다

2 하나님의 아들들이 사람의 딸들의 아름다움을 보고 자기들이 좋아하는 모든
여자를 아내로 삼는지라 3 여호와께서 이르시되 나의 영이 영원히 사람과 함께
하지 아니하리니 이는 그들이 육신이 됨이라 그러나 그들의 날은 백이십 년이
되리라 하시니라_**창 6:2-3**

47 첫 사람은 땅에서 났으니 흙에 속한 자이거니와 둘째 사람은 하늘에서 나셨

느니라 48 무릇 흙에 속한 자들은 저 흙에 속한 자와 같고 무릇 하늘에 속한 자
들은 저 하늘에 속한 이와 같으니 49 우리가 흙에 속한 자의 형상을 입은 것 같
이 또한 하늘에 속한 이의 형상을 입으리라_**고전 15:47-49**

4) 간음한 여인들과 벗이 되게 한다

간음한 여인들아 세상과 벗 된 것이 하나님과 원수 됨을 알지 못하느냐 그런즉 누구든지 세상과 벗이 되고자 하는 자는 스스로 하나님과 원수 되는 것이니라_**약 4:4**

---

4. 기도자는 무엇을 조심하며 살아야 하는가

15 이 세상이나 세상에 있는 것들을 사랑하지 말라 누구든지 세상을 사랑하면
아버지의 사랑이 그 안에 있지 아니하니 16 이는 세상에 있는 모든 것이 육신의
정욕과 안목의 정욕과 이생의 자랑이니 다 아버지께로부터 온 것이 아니요 세
상으로부터 온 것이라 17 이 세상도, 그 정욕도 지나가되 오직 하나님의 뜻을 행
하는 자는 영원히 거하느니라_**요일 2:15-17**

- 내가 빠지는 육체적 정욕은 무엇인지 적어 보라!
- 안목의 정욕은 무엇인지 적어 보라!
- 이생의 자랑은 무엇인지 적어 보라!

Q 이 세 가지 원수를 이기는 방도는 무엇일까?

이 세상이나 세상에 있는 것들을 사랑하지 말라_**요일 2:15**

Q 세상을 사랑하지 않으려면 신앙생활할 때 어떻게 더 노력해야 하는가? 세 가지를 적어 보라!

1)

2)

3)

너는 마음을 다하고 뜻을 다하고 힘을 다하여 네 하나님 여호와를 사랑하라_**신 6:5**

5. 귀신과 사탄을 어떻게 이길 수 있는가

1) 주의 ________ 으로 이길 수 있다

주여 주의 이름이면 귀신들도 우리에게 항복하더이다 **눅 10:17**

2) 주님의 기도를 통해 회복 받고, 지체들을 섬길 수 있다

31 시몬아, 시몬아, 보라 사탄이 너희를 밀 까부르듯 하려고 요구하였으나 **32** 그
러나 내가 너를 위하여 네 믿음이 떨어지지 않기를 기도하였노니 너는 돌이킨
후에 네 형제를 굳게 하라 **33** 그가 말하되 주여 내가 주와 함께 옥에도, 죽는 데
에도 가기를 각오하였나이다 **34** 이르시되 베드로야 내가 네게 말하노니 오늘
닭 울기 전에 네가 세 번 나를 모른다고 부인하리라 하시니라_**눅 22:31-34**

6. 사탄은 사람을 어떻게 공격하는가

1) 몸을 공격한다

7 사탄이 이에 여호와 앞에서 물러가서 욥을 쳐서 그의 발바닥에서 정수리까지
종기가 나게 한지라 8 욥이 재 가운데 앉아서 질그릇 조각을 가져다가 몸을 긁
고 있더니 9 그의 아내가 그에게 이르되 당신이 그래도 자기의 온전함을 굳게
지키느냐 하나님을 욕하고 죽으라_**욥 2:7-9**

하나님을 욕하고 죽으라_**욥 2:9**

2) 에 들어가 공격한다

3 열둘 중의 하나인 가룟인이라 부르는 유다에게 사탄이 들어가니 4 이에 유다
가 대제사장들과 성전 경비대장들에게 가서 예수를 넘겨 줄 방도를 의논하매 5
그들이 기뻐하여 돈을 주기로 언약하는지라 6 유다가 허락하고 예수를 무리가
없을 때에 넘겨 줄 기회를 찾더라_**눅 22:3-6**

4 제자 중 하나로서 예수를 잡아 줄 가룟 유다가 말하되 5 이 향유를 어찌하여
삼백 데나리온에 팔아 가난한 자들에게 주지 아니하였느냐 하니 6 이렇게 말함
은 가난한 자들을 생각함이 아니요 그는 도둑이라 돈궤를 맡고 거기 넣는 것을
훔쳐 감이러라_요 12:4-6

3) 재물로 유혹과 시험을 한다

23 대답하여 이르시되 나와 함께 그릇에 손을 넣는 그가 나를 팔리라 24 인자는
자기에 대하여 기록된 대로 가거니와 인자를 파는 그 사람에게는 화가 있으리
로다 그 사람은 차라리 태어나지 아니하였더라면 제게 좋을 뻔 하였느니라 25
예수를 파는 유다가 대답하여 이르되 랍비여 나는 아니지요 대답하시되 네가
말하였도다 하시니라_마 26:23-25

3 그때에 예수를 판 유다가 그의 정죄됨을 보고 스스로 뉘우쳐 그 은 삼십을 대
제사장들과 장로들에게 도로 갖다 주며 4 이르시되 내가 무죄한 피를 팔고 죄
를 범하였도다 하니 그들이 이르되 그것이 우리에게 무슨 상관이냐 네가 당하
라 하거늘 5 유다가 은을 성소에 던져 넣고 물러가서 스스로 목매어 죽은지라_
마 27:3-5

7. 원수인 사탄의 전술은 무엇인가

14 이것은 이상한 일이 아니니라 사탄도 자기를 광명의 천사로 가장하나니 15
그러므로 사탄의 일꾼들도 자기를 의의 일꾼으로 가장하는 것이 또한 대단한
일이 아니니라 그들의 마지막은 그 행위대로 되리라_**고후 11:14-15**

8. 사탄은 어떻게 공격하는가

- 사탄은 육신의 　　　　 을 일으킨다.
- 사탄은 정신적인 병을 일으킨다.

- 사탄은 마음에 병을 일으킨다.
- 사탄은 영적인 혼란을 일으킨다.
- 사탄은 건강한 자존감을 갖지 못하게 한다.
- 사탄은 ______ 를 공격한다.
- 사탄은 영적으로 약한 부분을 공격한다.

9. 우리에게 주신 권능은 무엇인가

내가 너희에게 뱀과 전갈을 밟으며 원수의 모든 능력을 제어할 권능을 주었으니 너희를 해칠 자가 결코 없으리라_눅 10:19

10. 영적으로 사탄은 우리의 어떤 삶을 기뻐하는가

1) 우상 숭배

- 재물
- 학문
- 지식
- 가족
- 생업
- 쾌락

2) 거짓, 허위, 위선, 맹세

33 또 옛사람에게 말한 바 헛 맹세를 하지 말고 네 맹세한 것을 주께 지키라 하
였다는 것을 너희가 들었으나 34 나는 너희에게 이르노니 도무지 맹세하지 말
지니 하늘로도 하지 말라 이는 하나님의 보좌임이요 35 땅으로도 하지 말라 이
는 하나님의 발등상임이요 예루살렘으로도 하지 말라 이는 큰 임금의 성임이
요 36 네 머리로도 하지 말라 이는 네가 한 터럭도 희고 검게 할 수 없음이라 37
오직 너희 말은 옳다 옳다, 아니라 아니라 하라 이에서 지나는 것은 악으로부터
나느니라_**마 5:33-37**

3) 교만, 우월감, 자만, 거만

그런즉 선 줄로 생각하는 자는 넘어질까 조심하라_**고전 10:12**

아무 일에든지 다툼이나 허영으로 하지 말고 오직 겸손한 마음으로 각각 자기보다 남을 낫게 여기고_**빌 2:3**

11. 주님은 기도자가 어떤 삶을 살며 사탄의 계략을 넘어서기를 원하시는가

1) 겸손한 삶을 사는 것을 기뻐하신다

그러나 더욱 큰 은혜를 주시나니 그러므로 일렀으되 하나님이 교만한 자를 물리치시고 겸손한 자에게 은혜를 주신다 하였느니라_**약 4:6**

2) 각각 자기 일을 할 뿐만 아니라 다른 사람의 일도 돌아보길 원하신다

각각 자기 일을 돌볼뿐더러 또한 각각 다른 사람들의 일을 돌보아 나의 기쁨을 충만하게 하라_**빌 2:4**

3) 불안, 근심, 걱정, 염려를 버리기를 원하신다

4) 불평, 불만, 갈등, 원망, 질투, 시기를 내려놓기를 원하신다

5) 비방, 비난, 이간, 훼방을 멀리하기를 원하신다

6) 비논리적 비평(정당치 못한 평가), 부정적 비판(정당치 못한 판단)을 하지 않기를 원하신다

7) 말다툼, 언쟁을 피하길 원하신다

8) 심적인 두려움, 공포, 허약, 안일, 게으름에서 벗어나기를 원하신다

9) 내면적 질병과 상처에서 자유하기를 원하신다

10) 열등감, 우울감, 낙심, 낙망, 절망, 자포자기하지 않기를 바라신다

11) 탐욕, 이기심, 정욕, 쾌락, 향락, 음란, 음욕, 간음을 하지 않기를 원하신다

12) 분열, 분쟁, 다툼, 싸움, 전쟁을 원하지 않으신다

---

10 너희가 무슨 일에든지 누구를 용서하면 나도 그리하고 내가 만일 용서한 일
이 있으면 용서한 그것은 너희를 위하여 그리스도 앞에서 한 것이니 **11** 이는 우
리로 사탄에게 속지 않게 하려 함이라 우리는 그 계책을 알지 못하는 바가 아니

로라_고후 2:10-11

12. 사탄과 짝하지 않기 위해 성경은 어떤 것을 조심하라고 하는가

1) 믿지 않는 자와 ________ 를 메지 말라

14 너희는 믿지 않는 자와 멍에를 함께 메지 말라 의와 불법이 어찌 함께하며 빛
과 어둠이 어찌 사귀며 15 그리스도와 벨리알이 어찌 조화되며 믿는 자와 믿지
않는 자가 어찌 상관하며_고후 6:14-15

2) 믿지 않는 자와 ________ 하지 말라

그들의 딸을 맞이하여 아내와 며느리로 삼아 거룩한 자손이 그 지방 사람들과 서로 섞이게 하는데 방백들과 고관들이 이 죄에 더욱 으뜸이 되었다 하는지라_스 9:2

12 너희가 만일 돌아서서 너희 중에 남아 있는 이 민족들을 가까이하여 더불어
혼인하며 서로 왕래하면 13 확실히 알라 너희의 하나님 여호와께서 이 민족들
을 너희 목전에서 다시는 쫓아내지 아니하시리니 그들이 너희에게 올무가 되
며 덫이 되며 너희의 옆구리에 채찍이 되며 너희의 눈에 가시가 되어서 너희가
마침내 너희의 하나님 여호와께서 너희에게 주신 이 아름다운 땅에서 멸하리
라_**수 23:12-13**

3) ________ 과 상종하지 말라

이단에 속한 사람을 한두 번 훈계한 후에 멀리하라_**딛 3:10**

4) 세상과 짝하지 마라

간음한 여인들아 세상과 벗 된 것이 하나님과 원수 됨을 알지 못하느냐 그런즉 누구든지 세상과 벗이 되고자 하는 자는 스스로 하나님과 원수 되는 것이니라_**약 4:4**

13. 사탄에게 쉽게 지지 않기 위해 우리는 어떤 노력을 해야 하는가

1) 자기 몸을 쳐 복종시켜야 한다

내가 내 몸을 쳐 복종하게 함은 내가 남에게 전파한 후에 자신이 도리어 버림을

당할까 두려워함이로다_**고전 9:27**

2) [   ] **훈련을 해야 한다**

7 망령되고 허탄한 신화를 버리고 경건에 이르도록 네 자신을 연단하라 8 육체
의 연단은 약간의 유익이 있으나 경건은 범사에 유익하니 금생과 내생에 약속
이 있느니라_**딤전 4:7-8**

14. 마귀에게 속지 않기 위해서 어떻게 무장해야 하는가

13 그러므로 하나님의 전신 갑주를 취하라 이는 악한 날에 너희가 능히 대적하
고 모든 일을 행한 후에 서기 위함이라 14 그런즉 서서 진리로 너희 허리띠를 띠
고 의의 호심경을 붙이고 15 평안의 복음이 준비한 것으로 신을 신고 16 모든 것
위에 믿음의 방패를 가지고 이로써 능히 악한 자의 모든 불화살을 소멸하고 17
구원의 투구와 성령의 검 곧 하나님의 말씀을 가지라_**엡 6:13-17**

Q 왜 전신 갑주를 입어야 하는가?

Q 전신 갑주에는 어떤 무기와 방어 장비가 있는가?

- 진리의 허리띠
- 의의 호심경
- 평안의 복음의 신
- 믿음의 방패
- 구원의 투구, 성령의 검(하나님의 말씀)

Q 몸의 어디에 갑옷이 없는가? 그 이유는 무엇인가?

과제

☑ **말씀암송**

로마서 16:20

평강의 하나님께서

속히 사탄을 너희 발 아래에서 상하게 하시리라

우리 주 예수의 은혜가 너희에게 있을지어다

☑ **하루 30분씩 매일 기도해 주세요.**

☑ **3명 이상에게 중보기도 제목을 받고, 기도해 주세요.**

☑ **기도문을 적어 제출해 주세요.**

[개인, 가정, 교회, 나라를 위한 기도]

☑ **메모**

chapter 4

Spiritual Warfare and Prayer

영적 전쟁과 영적 성숙

1. 성경은 영적으로 성숙한 지도자의 자격을 무엇이라고 하는가

1) 바울은 감독의 직분자를 세울 때 어떤 자를 세우라고 하였는가?

1 미쁘다 이 말이여, 곧 사람이 감독의 직분을 얻으려 함은 선한 일을 사모하는
것이라 함이로다 2 그러므로 감독은 책망할 것이 없으며 한 아내의 남편이 되
며 절제하며 신중하며 단정하며 나그네를 대접하며 가르치기를 잘하며 3 술을
즐기지 아니하며 구타하지 아니하며 오직 관용하며 다투지 아니하며 돈을 사
랑하지 아니하며 4 자기 집을 잘 다스려 자녀들로 모든 공손함으로 복종하게
하는 자라야 할지며 5 (사람이 자기 집을 다스릴 줄 알지 못하면 어찌 하나님의 교회
를 돌보리요) 6 새로 입교한 자도 말지니 교만하여져서 마귀를 정죄하는 그 정
죄에 빠질까 함이요 7 또한 외인에게서도 선한 증거를 얻은 자라야 할지니 비
방과 마귀의 올무에 빠질까 염려하라_ **딤전 3:1-7**

감독은
책망할 것이 없고,

한 아내의 남편이 되고,

절제하고,

신중하고,

단정하고,

나그네를 대접하고,

가르치기를 잘하고,

술을 즐기지 아니하고,

구타하지 아니하고,

관용하고,

다투지 아니하고,

돈을 사랑하지 아니하고,

자기 집을 잘 다스리고,

새로 입교한 자여서는 안 된다고 하였다.

2) 교회에 집사들을 세울 때의 기준은 무엇인가?

8 이와 같이 집사들도 정중하고 일구이언을 하지 아니하고 술에 인박이지 아니
하고 더러운 이를 탐하지 아니하고 9 깨끗한 양심에 믿음의 비밀을 가진 자라
야 할지니 10 이에 이 사람들을 먼저 시험하여 보고 그 후에 책망할 것이 없으면
집사의 직분을 맡게 할 것이요_**딤전 3:8-10**

2. 성경은 어떤 사람을 섬김이로 세우지 말라고 하는가

1) 새로 ______ 자를 세우지 말라고 한다

새로 입교한 자도 말지니 교만하여져서 마귀를 정죄하는 그 정죄에 빠질까 함이요_**딤전 3:6**

2) ______ 을 세우지 않도록 한다

또한 외인에게서도 선한 증거를 얻은 자라야 할지니 비방과 마귀의 올무에 빠질까 염려하라_**딤전 3:7**

3) ________ 를 세우지 마라

11 젊은 과부는 올리지 말지니 이는 정욕으로 그리스도를 배반할 때에 시집가
고자 함이니 12 처음 믿음을 저버렸으므로 정죄를 받느니라 13 또 그들은 게으
름을 익혀 집집으로 돌아다니고 게으를 뿐 아니라 쓸데없는 말을 하며 일을 만
들며 마땅히 아니할 말을 하나니 14 그러므로 젊은이는 시집가서 아이를 낳고
집을 다스리고 대적에게 비방할 기회를 조금도 주지 말기를 원하노라 15 이미
사탄에게 돌아간 자들도 있도다_**딤전 5:11-15**

Q 왜 이런 사람들을 세우지 말라고 하는가?
그 이외에 어떤 사람을 섬김이로 세우지 말아야 할 것 같은가?
그 이유는 무엇인가?

3. 성경은 어떤 영역을 넘어서야 성숙한다고 하는가

1) 육체의 정욕

그들이 허탄한 자랑의 말을 토하며 그릇되게 행하는 사람들에게서 겨우 피한 자들을 음란으로써 육체의 정욕 중에서 유혹하는도다_**벧후 2:18**

2) 육신의 정욕과 ______ 의 정욕

이는 세상에 있는 모든 것이 육신의 정욕과 안목의 정욕과 이생의 자랑이니 다 아버지께로부터 온 것이 아니요 세상으로부터 온 것이라_**요일 2:16**

3) 이 세상 정욕

우리를 양육하시되 경건하지 않은 것과 이 세상 정욕을 다 버리고 신중함과 의로움과 경건함으로 이 세상에 살고_**딛 2:12**

4) 죄의 정욕

우리가 육신에 있을 때에는 율법으로 말미암는 죄의 정욕이 우리 지체 중에 역사하여 우리로 사망을 위하여 열매를 맺게 하였더니_**롬 7:5**

5) 　　　　의 정욕

그 후로는 다시 사람의 정욕을 따르지 않고 하나님의 뜻을 따라 육체의 남은 때를 살게 하려 함이라_**벧전 4:2**

4. 정욕과 욕심에 이끌린 자의 최후는 어떻게 되는가
야고보는 우리가 시험 받는 이유를 어떻게 말하는가

13 사람이 시험을 받을 때에 내가 하나님께 시험을 받는다 하지 말지니 하나님
은 악에게 시험을 받지도 아니하시고 친히 아무도 시험하지 아니하시느니라 14
오직 각 사람이 시험을 받는 것은 자기 욕심에 '끌려 미혹됨'이니 15 욕심이 잉
태한즉 죄를 낳고 죄가 장성한즉 사망을 낳느니라_**약 1:13-15**

Q 그리스도가 고난받은 이유는 무엇인가?
성도가 죄를 짓는 것을 막고 정욕을 따르지 않게 하시기 위함이다.

1 그리스도께서 이미 육체의 고난을 받으셨으니 너희도 같은 마음으로 갑옷을
삼으라 이는 육체의 고난을 받은 자는 죄를 그쳤음이니 2 그 후로는 다시 사람
의 정욕을 따르지 않고 하나님의 뜻을 따라 육체의 남은 때를 살게 하려 함이
라_**벧전 4:1-2**

5. 정욕을 이기고 성숙한 기도자가 되는 방법은 무엇인가

1) 육체의 ________ 을 제어해야 한다

사랑하는 자들아 거류민과 나그네 같은 너희를 권하노니 영혼을 거슬러 싸우는 육체의 정욕을 제어하라_**벧전 2:11**

2) 영적 유아 상태를 벗어나야 한다

이는 젖을 먹는 자마다 어린아이니 의의 말씀을 경험하지 못한 자요_**히 5:13**

3) 영적 ______ 와 정체를 조심해야 한다

그들의 총명이 어두워지고 그들 가운데 있는 무지함과 그들의 마음이 굳어짐으로 말미암아 하나님의 생명에서 떠나 있도다_엡 4:18

13 형제들아 나는 아직 내가 잡은 줄로 여기지 아니하고 오직 한 일 즉 뒤에 있
는 것은 잊어버리고 앞에 있는 것을 잡으려고 14 푯대를 향하여 그리스도 예수
안에서 하나님이 위에서 부르신 부름의 상을 위하여 달려가노라_빌 3:13-14

- 싸우기
- 달리기
- 경계하기

6. 영적 정체에 빠지지 않기 위해 어떤 노력을 해야 하는가

- ______ 훈련
- 금식 훈련
- ______ 양육 훈련
- 교제 훈련
- 전도/선교 훈련

Q 예전에 어떤 훈련을 통해 성숙하게 되었는가?

Q 앞으로 어떤 훈련에 좀 더 뛰어들어 영적으로 무장해야 하는가?

7. 사탄에게 틈을 주지 않기 위해서는 어떻게 해야 하는가

26 분을 내어도 죄를 짓지 말며 해가 지도록 분을 품지 말고 27 마귀에게 틈을
주지 말라_**엡 4:26-27**

그 형제를 미워하는 자마다 살인하는 자니 살인하는 자마다 영생이 그 속에 거하지 아니하는 것을 너희가 아는 바라_**요일 3:15**

8. 영적인 정체기에서 나와 민족을 품고 기도하면 어떤 역사가 있는가

내 이름으로 일컫는 내 백성이 그들의 악한 길에서 떠나 스스로 낮추고 기도하여 내 얼굴을 찾으면 내가 하늘에서 듣고 그들의 죄를 사하고 그들의 땅을 고칠지라_**대하 7:14**

---

9. 예수님은 십자가를 지시기 전, 하나님께 기도하시면서 하나님의 사람들이 영적으로 승리하기 위해 어떻게 강건하게 서기를 간구하셨는가

1) 하나님의 사람들이 ＿＿＿＿ 가 되기를 원하셨다

나는 세상에 더 있지 아니하오나 그들은 세상에 있사옵고 나는 아버지께로 가옵나니 거룩하신 아버지여 내게 주신 아버지의 이름으로 그들을 보전하사 우리와 같이 그들도 하나가 되게 하옵소서_**요 17:11**

2) 하나님의 백성들을 보전하고, 한 명도 멸망하지 않기를 원하셨다

내가 그들과 함께 있을 때에 내게 주신 아버지의 이름으로 그들을 보전하고 지키었나이다 그 중의 하나도 멸망하지 않고 다만 멸망의 자식뿐이오니 이는 성경을 응하게 함이니이다_**요 17:12**

3) 예수님은 믿음의 사람들 가운데 주님의 기쁨이 충만하기를 원하셨다

지금 내가 아버지께로 가오니 내가 세상에서 이 말을 하옵는 것은 그들로 내 기쁨을 그들 안에 충만히 가지게 하려 함이니이다_**요 17:13**

4) 세상이 예수님을 미워하듯 하나님의 사람들을 미워하나 악에 빠지지 않게 ______ 되고, 그들도 세상에 속하지 않기를 원하셨다

14 내가 아버지의 말씀을 그들에게 주었사오매 세상이 그들을 미워하였사오니
이는 내가 세상에 속하지 아니함 같이 그들도 세상에 속하지 아니함으로 인함
이니이다 15 내가 비옵는 것은 그들을 세상에서 데려가시기를 위함이 아니요
다만 악에 빠지지 않게 보전하시기를 위함이니이다 16 내가 세상에 속하지 아
니함 같이 그들도 세상에 속하지 아니하였사옵나이다_요 17:14-16

5) 예수님은 하나님의 사람들이 진리로 거룩하기를 원하셨다

그들을 진리로 거룩하게 하옵소서 아버지의 말씀은 진리니이다_요 17:17

6) 예수님은 아버지께서 자신을 세상에 보내신 것 같이 하나님의 사람들을 세상에 ______ 하기를 원하셨다

18 아버지께서 나를 세상에 보내신 것 같이 나도 그들을 세상에 보내었고 19 또
그들을 위하여 내가 나를 거룩하게 하오니 이는 그들도 진리로 거룩함을 얻게
하려 함이니이다_요 17:18-19

7) 예수님은 자신을 믿고 따르는 제자들만이 아니라 믿는 사람들도 올바로 서고, 아버지가 예수님 안에 예수님 안에 아버지가 계시듯 믿는 자들도 ______ 가 되기를 원하셨다

20 내가 비옵는 것은 이 사람들만 위함이 아니요 또 그들의 말로 말미암아 나를
믿는 사람들도 위함이니 21 아버지여, 아버지께서 내 안에, 내가 아버지 안에
있는 것 같이 그들도 다 하나가 되어 우리 안에 있게 하사 세상으로 아버지께서
나를 보내신 것을 믿게 하옵소서_요 17:20-21

10. 나는 우리 가정, 교회 지체들, 세상에서 만나는 자들이 온전히 영적으로 서 가도록 어떤 노력을 해야 하는가

1) 가정을 위한 노력?

a.

b.

c.

2) 교회 지체들을 위한 노력?

a.

b.

c.

3) 세상에서 만나는 사람들을 위한 노력?

a.

b.

c.

과제

☑ **말씀암송**

에베소서 4:26-27

분을 내어도 죄를 짓지 말며

해가 지도록 분을 품지 말고

마귀에게 틈을 주지 말라

☑ **하루 30분씩 매일 기도해 주세요.**

☑ **3명 이상에게 중보기도 제목을 받고, 기도해 주세요.**

☑ **기도문을 적어 제출해 주세요.**

[개인, 가정, 교회, 나라를 위한 기도]

☑ **메모**

chapter 5

Spiritual Warfare and Prayer

영적 전쟁에서 승리하는 비결

1. 영적으로 사탄에게 지지 않기 위해 어떻게 해야 하는가

1) 사도 바울은 에베소 교회 교인들에게 마귀에게 ____ 을 주지 말라고 경고했다

> 26 분을 내어도 죄를 짓지 말며 해가 지도록 분을 품지 말고 27 마귀에게 틈을
> 주지 말라_**엡 4:26-27**

2) 하나님 아버지의 집을 ____ 하는 집으로 바꾸면 안 된다고 하셨다

13 유대인의 유월절이 가까운지라 예수께서 예루살렘으로 올라가셨더니 14 성
전 안에서 소와 양과 비둘기 파는 사람들과 돈 바꾸는 사람들이 앉아 있는 것을
보시고 15 노끈으로 채찍을 만드사 양이나 소를 다 성전에서 내쫓으시고 돈 바
꾸는 사람들의 돈을 쏟으시며 상을 엎으시고 16 비둘기 파는 사람들에게 이르
시되 이것을 여기서 가져가라 내 아버지의 집으로 장사하는 집을 만들지 말라
하시니 17 제자들이 성경 말씀에 주의 전을 사모하는 열심이 나를 삼키리라 한
것을 기억하더라_요 2:13-17

3) ________ 을 품고 미워하지 않아야 한다

10 너희가 무슨 일에든지 누구를 용서하면 나도 그리하고 내가 만일 용서한 일
이 있으면 용서한 그것은 너희를 위하여 그리스도 앞에서 한 것이니 11 이는 우
리로 사탄에게 속지 않게 하려 함이라 우리는 그 계책을 알지 못하는 바가 아니
로다_고후 2:10-11

Q 오히려 성도는 어떻게 원수 같은 자,
자신을 조롱하고 무시하는 자를 품을 수 있는가?

a. ______ 의 기도를 드려야 한다

아버지 저들을 사하여 주옵소서 자기들이 하는 것을 알지 못함이니이다_**눅 23:34**

b. ______ 이 거해야 한다

청년들아 내가 너희에게 쓴 것은 너희가 강하고 하나님의 말씀이 너희 안에 거하시며 너희가 흉악한 자를 이기었음이라_**요일 2:14**

c. 두 눈을 뜨고 ______ 해야 한다

투기와 술 취함과 방탕함과 또 그와 같은 것들이라 전에 너희에게 경계한 것 같이 경계하노니 이런 일을 하는 자들은 하나님의 나라를 유업으로 받지 못할 것이요_ **갈 5:21**

2. 성경에 보면 초대 교회에 어떤 것을 촉구하셨는가

1) 주님은 사데 교회에게 잠에서 ______ 고 촉구하셨다

1 사데 교회의 사자에게 편지하라 하나님의 일곱 영과 일곱 별을 가지신 이가
이르시되 내가 네 행위를 아노니 네가 살았다 하는 이름은 가졌으나 죽은 자로
다 2 너는 일깨어 그 남은 바 죽게 된 것을 굳건하게 하라 내 하나님 앞에 네 행
위의 온전한 것을 찾지 못하였노니 3 그러므로 네가 어떻게 받았으며 어떻게
들었는지 생각하고 지켜 회개하라 만일 일깨지 아니하면 내가 도둑 같이 이르

리니 어느 때에 네게 이를는지 네가 알지 못하리라 4 그러나 사데에 그 옷을 더
럽히지 아니한 자 몇 명이 네게 있어 흰옷을 입고 나와 함께 다니리니 그들은
합당한 자인 연고라 5 이기는 자는 이와 같이 흰옷을 입을 것이요 내가 그 이름
을 생명책에서 결코 지우지 아니하고 그 이름을 내 아버지 앞과 그의 천사들 앞
에서 시인하리라 6 귀 있는 자는 성령이 교회들에게 하시는 말씀을 들을지어
다_**계 3:1-6**

2) 에베소 교회는 "기도와 간구를 성령안에서 결합하라"는 충고를 받았다

모든 기도와 간구를 하되 항상 성령 안에서 기도하고 이를 위하여 깨어 구하기를 항상 힘쓰며 여러 성도를 위하여 구하라_**엡 6:18**

3) 고린도 교회는 "　　　　 믿음에 굳게 서라"는 촉구를 받았다

깨어 믿음에 굳게 서서 남자답게 강건하라_**고전 16:13**

4) 골로새 교회는 "기도를 계속하고 기도에 감사함으로 깨어 있으라"는 권면을 받았다

기도를 계속하고 기도에 감사함으로 깨어 있으라_**골 4:2**

5) 데살로니가 교회는 "다른 이들과 같이 자지 말고 오직 깨어 정신을 차릴지라"는 말씀을 들었다

그러므로 우리는 다른 이들과 같이 자지 말고 오직 깨어 정신을 차릴지라_**살전 5:6**

6) 베드로는 만물의 엄숙한 종말이 급히 다가오고 있으니 "정신을 차리고 　　　　 하여 기도하라"고 경고했다

만물의 마지막이 가까이 왔으니 그러므로 너희는 정신을 차리고 근신하여 기

도하라_**벧전 4:7**

7) 베드로는 ______ 하고 깨어나야 한다고 하였다

근신하라 깨어라 너희 대적 마귀가 우는 사자 같이 두루 다니며 삼킬 자를 찾나니_**벧전 5:8**

어떤 교회의 물질적인 번영이나 그 교회가 하는 활동으로 교회 상태를 판단하는 것은 아주 위험한 미혹이다. 일반적으로 어떤 교회의 그럴싸한 외양과 이례적인 성장이 그 교회의 황폐함과 부패를 은폐하는 경우가 많다.

그러나 영적인 교회는 사람들을 죄의 길에서 온전하게, 명백하게, 완전히 돌아오게 할 것이다. 또한 성결의 길로 인도할 것이며, 그들이 하나님의 마음을 기쁘시게 하는 길로 걷기 위해 분투하도록 이끌 것이다.

우리는 이런 영성을 교회 한구석에 아무렇게나 처박아 놓을 수 없다. 우리는 이 영성을 우리의 최우선적이고 유일한 본분으로 삼아야 한다.

하나님의 교회는 죄인을 회개시키고, 성도를 온전히 성결하게 하는 이 일을 계속 수행해야 한다. 어떤 교회가 이 일을 부차적인 것으로 만들거나 다른 관심사를 이 일과 동등하게 여길 때마다 그 교회는 세속적이 될 것이다.

어떤 교회가 물질적인 관심사를 강조하면 그것이 다른 모든 것들보다 더 두드러지게 될 것이요 그러면 마침내 세상이 그 교회의 보좌에 앉아 사탄의 홀을 흔들 것이다.

– E. M. 바운즈 「기도로 원수를 밟으라」, p.78

3. 사탄과의 싸움에서 승리하기 위해 어떤 것이 필요한가

1) 영원한 ________ 의 보혈

양들의 큰 목자이신 우리 주 예수를 영원한 언약의 피로 죽은 자 가운데서 이끌어 내신 평강의 하나님이_**히 13:20**

2) 어린양의 피

10 내가 또 들으니 하늘에 큰 음성이 있어 이르되 이제 우리 하나님의 구원과 능
력과 나라와 또 그의 그리스도의 권세가 나타났으니 우리 형제들을 참소하던
자 곧 우리 하나님 앞에서 밤낮 참소하던 자가 쫓겨났고 **11** 또 우리 형제들이 어
린양의 피와 자기들이 증언하는 말씀으로써 그를 이겼으니 그들은 죽기까지
자기들의 생명을 아끼지 아니하였도다_**계 12:10-11**

3) 영혼이 잘됨 같이 우리가 강건

사랑하는 자여 네 영혼이 잘됨 같이 네가 범사에 잘되고 강건하기를 내가 간구하노라_**요삼 1:2**

4) 낫기를 간구하고 건강

그러므로 너희 죄를 서로 고백하며 병이 낫기를 위하여 서로 기도하라 의인의 간구는 역사하는 힘이 큼이니라_약 5:16

5) 영적인 원수가 누구인지 아는 것

근신하라 깨어라 너희 대적 마귀가 우는 사자 같이 두루 다니며 삼킬 자를 찾나니_벧전 5:8

4. 우리는 왜 선을 행하지 아니하고 악을 행하고, 하나님의 법을 즐거워하기보다 죄의 법을 따르는가

19 내가 원하는 바 선은 행하지 아니하고 도리어 원하지 아니하는 바 악을 행하
는도다 20 만일 내가 원하지 아니하는 그것을 하면 이를 행하는 자는 내가 아니
요 내 속에 거하는 죄니라 21 그러므로 내가 한 법을 깨달았노니 곧 선을 행하기
원하는 나에게 악이 함께 있는 것이로다 22 내 속사람으로는 하나님의 법을 즐
거워하되 23 내 지체 속에서 한 다른 법이 내 마음의 법과 싸워 내 지체 속에 있
는 죄의 법으로 나를 사로잡는 것을 보는도다_롬 7:19-23

5. 육체 속에 죄를 이기고, 승리하기 위해서는 어떻게 해야 하는가

1 오순절 날이 이미 이르매 그들이 다 같이 한 곳에 모였더니 2 홀연히 하늘로부
터 급하고 강한 바람 같은 소리가 있어 그들이 앉은 온 집에 가득하며 3 마치 불
의 혀처럼 갈라지는 것들이 그들에게 보여 각 사람 위에 하나씩 임하여 있더니
4 그들이 다 성령의 충만함을 받고 성령이 말하게 하심을 따라 다른 언어들로
말하기를 시작하니라_**행 2:1-4**

Q 사탄의 유혹에 빠지지 않으려면 어떻게 해야 하는가?

이 세상이나 세상에 있는 것들을 사랑하지 말라_**요일 2:15**

6. 사탄은 어떻게 우리를 기도하지 못하게 하는가

- ______ 하게 한다.
- 낙망하게 한다.

• 죄로 ______ 에 빠져 살게 한다.

Q 영적으로 좌절되고, 낙망할 때 어떻게 다시 일어설 수 있었는가?

7. 영적으로 지친 사람은 어떻게 다시 회복될 수 있는가

• 함께 기도할 ______ 를 만나라!
• 정기적으로 기도할 장소를 정하라!
• 기도 제목을 나누라!
• 기도를 부탁하라!
• 영적 ______ 를 찾아 교제하라!
• 기도 집회를 참석하라!
• 자신의 기도 제목만 나누지 말고, 다른 사람을 위해서 기도하라!

Q 영적 전쟁을 할 때 어떤 부분이 약해서 무너지는 것 같은가?

하나님께 부르짖어야 한다.

8. 영적 전쟁을 하는 리더는 어떻게 하나님 앞에 나아가야 하는가

그들이 미스바에 모여 물을 길어 여호와 앞에 붓고 그날 종일 금식하고 거기에 서 이르되 우리가 여호와께 범죄하였나이다 하니라 사무엘이 미스바에서 이스라엘 자손을 다스리니라_**삼상 7:6**

사무엘이 번제를 드릴 때에 블레셋 사람이 이스라엘과 싸우려고 가까이 오매 그날에 여호와께서 블레셋 사람에게 큰 우레를 발하여 그들을 어지럽게 하시니 그들이 이스라엘 앞에 패한지라_**삼상 7:10**

9. 귀신을 쫓아내려면 어떻게 해야 하는가

1) 명하여 나오라고 ______ 한다

16 우리가 기도하는 곳에 가다가 점치는 귀신 들린 여종 하나를 만나니 점으로
그 주인들에게 큰 이익을 주는 자라 **17** 그가 바울과 우리를 따라와 소리 질러 이
르되 이 사람들은 지극히 높은 하나님의 종으로서 구원의 길을 너희에게 전하
는 자라 하며 **18** 이같이 여러 날을 하는지라 바울이 심히 괴로워하여 돌이켜 그
귀신에게 이르되 예수 그리스도의 이름으로 내가 네게 명하노니 그에게서 나
오라 하니 귀신이 즉시 나오니라_**행 16:16-18**

2) 성령 충만하면 된다

10 두 해 동안 이같이 하니 아시아에 사는 자는 유대인이나 헬라인이나 다 주의
말씀을 듣더라 11 하나님이 바울의 손으로 놀라운 능력을 행하게 하시니 12 심
지어 사람들이 바울의 몸에서 손수건이나 앞치마를 가져다가 병든 사람에게
얹으면 그 병이 떠나고 악귀도 나가더라_**행 19:10-12**

3) 기도와 ______ 으로 나아가면 된다

이르시되 기도 외에 다른 것으로는 이런 종류가 나갈 수 없느니라 하시니라_**막 9:29**

10. 성령 충만을 위해서 우리는 어떻게 그리고 어떤 경건훈련을 해야 하는가

과제

☑ **말씀암송**

마가복음 9:29

이르시되 기도 외에 다른 것으로는

이런 종류가 나갈 수 없느니라 하시니라

☑ **하루 30분씩 매일 기도해 주세요.**

☑ **3명 이상에게 중보기도 제목을 받고, 기도해 주세요.**

☑ **기도문을 적어 제출해 주세요.**

[개인, 가정, 교회, 나라를 위한 기도]

☑ **메모**

chapter 6

Spiritual Warfare and Prayer

영적 전쟁과 금식 기도

1. 하나님이 기뻐하시는 것은 무엇인가

흉악의 ＿＿＿＿ 을 풀어 주는 금식이다

내가 기뻐하는 금식은 흉악의 결박을 풀어 주며 멍에의 줄을 끌러 주며 압제 당하는 자를 자유하게 하며 모든 멍에를 꺾는 것이 아니겠느냐_**사 58:6**

2. 구약성경은 언제 금식을 했다고 하는가

1) 지도자가 위대한 사명을 받을 때, 금식했다

모세가 여호와와 함께 사십 일 사십 야를 거기 있으면서 떡도 먹지 아니하였고 물도 마시지 아니하였으며 여호와께서는 언약의 말씀 곧 십계명을 그 판들에 기록하셨더라_**출 34:28**

2) ＿＿＿＿ 때, 금식했다

이에 온 이스라엘 자손 모든 백성이 올라가 벧엘에 이르러 울며 거기서 여호와 앞에 앉아서 그 날이 저물도록 금식하고 번제와 화목제를 여호와 앞에 드리고_**삿 20:26**

3) 개인적 슬픔을 당할 때, 금식했다

다윗이 그 아이를 위하여 하나님께 간구하되 다윗이 금식하고 안에 들어가서 밤새도록 땅에 엎드렸으니_**삼하 12:16**

4) 하나님과 깊은 ______ 를 원할 때, 금식했다

이에 일어나 먹고 마시고 그 음식물의 힘을 의지하여 사십 주 사십 야를 가서 하나님의 산 호렙에 이르니라_**왕상 19:8**

5) 조국의 참담한 현실을 알게 될 때, 금식하였다

내가 이 말을 듣고 앉아서 울고 수일 동안 슬퍼하며 하늘의 하나님 앞에 금식하며 기도하여_**느 1:4**

6) 개인과 국가의 죄를 통회할 때, 금식하였다

내가 금식하며 베옷을 입고 재를 덮어쓰고 주 하나님께 기도하며 간구하기를 결심하고_**단 9:3**

7) 하나님의 ______ 을 받을 때, 금식하였다

당신은 가서 수산에 있는 유다인을 다 모으고 나를 위하여 금식하되 밤낮 삼 일을 먹지도 말고 마시지도 마소서 나도 나의 시녀와 더불어 이렇게 금식한 후에 규례를 어기고 왕에게 나아가리니 죽으면 죽으리이다 하니라_**에 4:16**

8) 민족의 위기 때, 금식하였다

너희는 금식일을 정하고 성회를 소집하여 장로들과 이 땅의 모든 주민들을 너희 하나님 여호와의 성전으로 모으고 여호와께 부르짖을지어다_**욜 1:14**

9) 하나님의 심판을 ______ 가 전하고 들을 때, 금식하였다

왕과 그의 대신들이 조서를 내려 니느웨에 선포하여 이르되 사람이나 짐승이나 소 떼나 양 떼나 아무것도 입에 대지 말지니 곧 먹지도 말 것이요 물도 마시

지 말 것이며_욘 3:7

10) 1년 중 한 번 대속죄일 때, 금식하였다

18 만군의 여호와의 말씀이 내게 임하여 이르시되 19 만군의 여호와가 이같이
말하노라 넷째 달의 금식과 다섯째 달의 금식과 일곱째 달의 금식과 열째 달
의 금식이 변하여 유다 족속에게 기쁨과 즐거움과 희락의 절기들이 되리니 오
직 너희는 진리와 화평을 사랑할지니라 20 만군의 여호와가 이와 같이 말하노
라 다시 여러 백성과 많은 성읍의 주민이 올 것이라 21 이 성읍 주민이 저 성읍
에 가서 이르기를 우리가 속히 가서 만군의 여호와를 찾고 여호와께 은혜를 구
하자 하면 나도 가겠노라 하겠으며_슥 8:18-21

3. 신약성경은 언제 금식하였다고 하는가

1) 하나님의 부르심 때, 금식하였다

사흘 동안 보지 못하고 먹지도 마시지도 아니하니라_행 9:9

2) 전도자의 ______ 때, 금식하였다

주를 섬겨 금식할 때에 성령이 이르시되 내가 불러 시키는 일을 위하여 바나바와 사울을 따로 세우라 하시니_행 13:2

3) 교회의 지도자를 세울 때, 금식하였다

각 교회에서 장로들을 택하여 금식 기도 하며 그들이 믿는 주께 그들을 위탁하고_행 14:23

4. 음식을 먹는 양에 따른 어떤 종류의 금식이 있는가

1) ______ 적인 금식을 하였다

세 이레가 차기까지 좋은 떡을 먹지 아니하며 고기와 포도주를 입에 대지 아니하며 또 기름을 바르지 아니하니라_**단 10:3**

2) 음식을 먹지 않는 금식을 하였다

사십 일을 밤낮으로 금식하신 후에 주리신지라_**마 4:2**

3) ______ 도 마시지 않는 금식을 하였다

사흘 동안 보지 못하고 먹지도 마시지도 아니하니라_**행 9:9**

Q 금식 기도의 기간은 어떻게 되는가?

- 3일
- 7일
- 21일
- 40일

5. 금식할 때 어떤 부분을 조심해서 실수하지 않아야 하는가

16 금식할 때에 너희는 외식하는 자들과 같이 슬픈 기색을 보이지 말라 그들은
금식하는 것을 사람에게 보이려고 얼굴을 흉하게 하느니라 내가 진실로 너희
에게 이르노니 그들은 자기 상을 이미 받았느니라 17 너는 금식할 때에 머리에

기름을 바르고 얼굴을 씻으라 18 이는 금식하는 자로 사람에게 보이지 않고 오
직 은밀한 중에 계신 네 아버지께 보이게 하려 함이라 은밀한 중에 보시는 네
아버지께서 갚으시리라_마 6:16-18

6. 금식을 통해 어떤 유익을 얻을 수 있는가

- 굶주린 자들의 　　　　 을 알게 된다.
- 나의 잘못된 언어습관을 알게 된다.
- 자신이 죄인의 괴수인 것을 알게 된다.
- 자신의 　　　　 을 깨닫게 된다.
- 자신의 부르심, 비전, 사명에 집중하게 된다.
- 영육간에 지치지 않는 힘을 얻게 된다.

7. 금식을 통해 얻게 된 선물이 있었는가

- 금식 후에 　　　　 의 가치를 알 수 있다.
- 문제에만 집착하지 않을 수 있게 된다.
- 할 수 없어 보이는 일을 감당하게 된다.

8. 구약의 대표적인 젊은 남성, 다니엘은 고기와 술을 금식하고 어떤 경험을 하였는가

13 당신 앞에서 우리의 얼굴과 왕의 음식을 먹는 소년들의 얼굴을 비교하여 보
아서 당신이 보는 대로 종들에게 행하소서 하매 14 그가 그들의 말을 따라 열흘
동안 시험하더니 15 열흘 후에 그들의 얼굴이 더욱 아름답고 살이 더욱 윤택하
여 왕의 음식을 먹는 다른 소년들보다 더 좋아 보인지라_**단 1:13-15**

---

9. 구약의 대표적인 젊은 여성, 에스더는 금식 기도를 통해 어떤 행동을 하였는가

1) 금식을 한 후, 규례를 어기고 　　　 에게 나아가려고 하였다

13 모르드개가 그를 시켜 에스더에게 회답하되 너는 왕궁에 있으니 모든 유다
인 중에 홀로 목숨을 건지리라 생각하지 말라 14 이때에 네가 만일 잠잠하여 말
이 없으면 유다인은 다른 데로 말미암아 놓임과 구원을 얻으려니와 너와 네 아
버지 집은 멸망하리라 네가 왕후의 자리를 얻은 것이 이때를 위함이 아닌지 누
가 알겠느냐 하니 15 에스더가 모르드개에게 회답하여 이르되 16 당신은 가서
수산에 있는 유다인을 다 모으고 나를 위하여 금식하되 밤낮 삼 일을 먹지도 말
고 마시지도 마소서 나도 나의 시녀와 더불어 이렇게 금식한 후에 규례를 어기
고 왕에게 나아가리니 죽으면 죽으리이다 하니라_**에 4:13-16**

2) 에스더는 금식 후 왕에게 나아갔다

1 제삼일에 에스더가 왕후의 예복을 입고 왕궁 안 뜰 곧 어전 맞은편에 서니 왕
이 어전에서 전 문을 대하여 왕좌에 앉았다가 2 왕후 에스더가 뜰에 선 것을 본
즉 매우 사랑스러우므로 손에 잡았던 금 규를 그에게 내미니 에스더가 가까이

가서 금 규 끝을 만진지라 3 왕이 이르되 왕후 에스더여 그대의 소원이 무엇이
며 요구가 무엇이냐 나라의 절반이라도 그대에게 주겠노라 하니_**에 5:1-3**

10. 왜 금식하며 기도해야 하는가

내가 기뻐하는 금식은 흉악의 결박을 풀어주며 멍에의 줄을 끌러 주며, 압제 당하는 자를 자유하게 하며 모든 멍에를 꺾는 것이 아니겠느냐_**사 58:6**

기도와 외에 다른 것으로는 이런 종류가 나갈 수 없느니라_**막 9:29**

---

11. 금식 기도의 실제 훈련은 어떻게 해야 하는가

- 금식할 때, 실제적 기도 제목을 정한다.
- 금식기간 중 말씀을 읽고 찬양하며 예배한다.
- 금식기간 중 산책하며 고요히 시간을 보낸다.

• 금식기간 동안 몸의 안정을 취한다.

• 금식 후 보호식을 금식한 기간만큼 한다.

12. 끊임없이 기도하고 금식하며 기도해야 하는 이유는 무엇인가

1 그때에 천국은 마치 등을 들고 신랑을 맞으러 나간 열 처녀와 같다 하리니 2
그중의 다섯은 미련하고 다섯은 슬기 있는 자라 3 미련한 자들은 등을 가지되
기름을 가지지 아니하고 4 슬기 있는 자들은 그릇에 기름을 담아 등과 함께 가
져갔더니 5 신랑이 더디 오므로 다 졸며 잘새 6 밤중에 소리가 나되 보라 신랑이
로다 맞으러 나오라 하매 7 이에 그 처녀들이 다 일어나 등을 준비할새 8 미련
한 자들이 슬기 있는 자들에게 이르되 우리 등불이 꺼져가니 너희 기름을 좀 나
눠 달라 하거늘 9 슬기 있는 자들이 대답하여 이르되 우리와 너희가 쓰기에 다
부족할까 하노니 차라리 파는 자들에게 가서 너희 쓸 것을 사라 하니 10 그들이
사러 간 사이에 신랑이 오므로 준비하였던 자들은 함께 혼인 잔치에 들어가고
문은 닫힌지라 11 그 후에 남은 처녀들이 와서 이르되 주여 주여 우리에게 열어
주소서 12 대답하여 이르되 진실로 너희에게 이르노니 내가 너희를 알지 못하
노라 하였느니라 13 그런즉 깨어 있으라 너희는 그 날과 그 때를 알지 못하느니
라_**마 25:1-13**

Q 당신은 영적으로 깨어 있는 것 같은가?
아니면 영적으로 잠들어 있는 것 같은가?
왜 그렇게 생각하는가?

13. 금식 기도를 통해 어떤 일이 일어나는가

- 하나님과의 깊은 교제
- 기도 응답과 확신
- 행복한 가정, 교회, 공동체 형성

14. 인생을 살면서 금식 기도를 해야 할 정도로 어떤 어려움, 고통, 고난을 겪어 보았는가 혹, 금식을 통해 받은 기도 응답은 무엇인가

Q 금식을 가볍게 작정한다면 무엇을 위해
혹 어떤 제목으로 금식을 하고자 하는가?

과제

☑ **말씀암송**

이사야 58:6

내가 기뻐하는 금식은

흉악의 결박을 풀어 주며 멍에의 줄을 끌러 주며

압제 당하는 자를 자유하게 하며

모든 멍에를 꺾는 것이 아니겠느냐

☑ **하루 30분씩 매일 기도해 주세요.**

☑ **3명 이상에게 중보기도 제목을 받고, 기도해 주세요.**

☑ **기도문을 적어 제출해 주세요.**

[개인, 가정, 교회, 나라를 위한 기도]

☑ **메모**

기도 양육 301 과제 체크리스트

	1주	2주	3주	4주	5주	6주
❶ 출석 체크						
❷ 하루기도 30분 이상						
❸ 암송구절 암기하기						
❹ 3명 이상 중보기도 제목 받기						
❺ 기도문 적어오기 (개인, 가정, 교회, 나라)						

❶ 매주 출석은 ○, 지각은 △, 결석은 × 표시해 주세요.
❷ 하루 30분씩 매일 기도했다면 ○, 어느 정도 했다면 △, 못했다면 × 표시해 주세요.
❸ 암송구절을 암송했다면 ○, 못했다면 × 표시해 주세요.
❹ 3명 이상에게 중보기도 제목을 받고 기도했다면 ○, 못했다면 × 표시해 주세요.
❺ 매주 1번 기도문을 적고 제출했다면 ○, 적지 못해 제출하지 못했다면 × 표시해 주세요.